Loreto de Miguel y Alba Santos

GW00994830

NOVENTA Y SEIS HORAS Y MEDIA EN NINGUNA PARTE

(UN CUENTO CHINO)

GRUPO DIDASCALIA, S.A.
Plaza Ciudad de Salta, 3 - 28043 MADRID - (ESPAÑA)
TEL.: (34) 914.165.511 - FAX: (34) 914.165.411

Colección **"Para que leas"**:
Dirigida por Lourdes Miquel y Neus Sans

Primera edición: 1987
Segunda edición: 1991
Primera reimpresión: 1995
Segunda reimpresión: 1998
Tercera reimpresión: 2000
Cuarta reimpresión: 2005
Quinta reimpresión: 2008

Diseño de colección y cubierta: *Angel Viola*
Ilustraciones: *Mariel Soria*

© Las autoras
  Edelsa Grupo Didascalia, S.A.
  Madrid, 1987

ISBN: 978-84-7711-016-3
Depósito legal: M-12496-2008
Impreso en España
Printed in Spain
Talleres gráficos INTIGRAF, S.L.

Pepe Rey abre los ojos. Lo primero que ve es _branches_ un cielo muy azul. Luego, las ramas de unos árboles sobre su cabeza, que, por cierto, le duele mucho, muchísimo. «¿Qué hago aquí en el campo, bajo un pino, durmiendo y con este horrible dolor de cabeza?», se pregunta. No entiende nada.

Se levanta un poco y, ya sentado en el suelo, mira el paisaje. No hay nadie. Sólo árboles y tierra seca. Al fondo se ve una vieja casa de campo y, más lejos, un pueblo. Se oyen algunos pájaros y un rebaño de cabras. Poco a poco Pepe va levantándose. También le duelen la espalda y una rodilla. Mira el

Lo primero que ve es un cielo muy azul.

reloj: día 13. Las 13 h... «¡Claro..., martes y 13...»[1], piensa...

«Debo estar al sur de Madrid, bastante al sur...», piensa mirando la vegetación[2] y los campos. Sigue preguntándose cómo ha llegado hasta ahí. Y sigue sin respuesta.

Cada vez más preocupado, empieza a buscar en sus recuerdos: «¿Dónde estuve anoche...? ¿Tanto bebí? No... No puede ser. Esto es muy extraño.» De repente se da cuenta de que sólo lleva un zapato. Y de que no se acuerda absolutamente de nada.

Busca un cigarrillo en el bolsillo derecho de su americana. Pero no lo encuentra. En el lugar donde lleva normalmente el tabaco y las llaves del coche hay una rosa roja. «¿Qué significa todo esto?», se pregunta de nuevo.

* * *

Empieza a andar hacia la casa, que está a unos doscientos metros. En la puerta hay una anciana vestida de negro[3] pelando patatas y una niña jugando con una vieja muñeca.

—Buenos días.

—Buenos días —le responde la vieja mirándole de arriba abajo.

—Oiga..., mire..., ¿tienen teléfono? Es que... Bueno, es un poco difícil de explicar: me he perdido y quisiera hacer una llamada.

—Pues, hijo, aquí no tenemos teléfono. Tendrá que ir hasta el pueblo. Carmencita[4] le acompañará, ¿verdad, hija? Venga, acompaña a este señor a la fonda[5].

5

Hay una anciana vestida de negro pelando patatas.

La niña deja la muñeca y sonríe a Pepe. Es una niña muy morena, de unos seis años. Se le han caído todos los dientes y también ella parece una viejecita.

—Vamos —le dice a Pepe contenta.

Pepe y la niña empiezan a andar hacia el pueblo.

—¿Cómo te llamas?[6] —le pregunta la pequeña al detective.

—Pepe, o sea José.

—¡Ah! Como mi padre y como el abuelo[7]...

—¿Ah, sí? Oye, Carmencita, ¿cómo se llama el pueblo?

—Villaperdida del Monte[8]. ¿No lo sabías?

—No.

—¿Y qué haces tú aquí? Porque tú no eres de por aquí, ¿verdad?

—Pues no lo sé, hija, no lo sé. No tengo ni idea.

* * *

En la fonda «La Malagueña» hay un teléfono. Y, después de comprarle unos caramelos a Carmencita, Pepe decide llamar a Madrid.

—¿Tienen teléfono?

—Sí, al fondo, a la derecha. Al lado de los servicios.

—Ah, sí, gracias, ya lo veo.

Pepe llama a su oficina. Sólo Susi, su secretaria, que lo sabe todo, puede explicarle qué hace él en Villaperdida del Monte. En su casa no hay nadie, porque Pepe vive solo desde que se separó de Elena. Bueno, solo, solo, no. Vive con «Ninochka», una gata siamesa guapísima y bastante bohemia, que de vez en cuando se va de vacaciones por los tejados del viejo Madrid.

Pero «Ninochka» todavía no ha aprendido a contestar al teléfono.

—José Rey, detective privado, dígame —responde Susi.

—Susi, soy yo.

—Jefe, ¡por fin! ¡Dios mío, jefe! ¿En qué lío se ha metido?

—Yo todavía no lo sé. ¿Y tú?

—Jefe, ¿dónde está?

—En un pueblo de la provincia de Toledo[9], Villaperdida del Monte.

—Vaya nombre tan adecuado... ¿Y qué hace ahí si se puede saber?

—No tengo la menor idea...

—Supongo que lo sabe ya todo...

—¿Qué es «todo», Susi?

—Pues que el inspector Romerales le busca para detenerle. Ha estado aquí esta mañana. Le acusan de asesinato.

—¿Cómo? ¿Qué dices? ¿Asesinato de quién?

—De Paolo Rissi, aquel señor italiano con el que había quedado usted el viernes por la tarde.

—Susi, en mi mesa hay unas llaves de mi coche. Supongo que todavía estará aparcado donde lo dejé, en la Plaza de Pontejos, ya sabes, detrás de Sol[10]. Por favor, cógelo y ven a buscarme. Y ten cuidado en la carretera...

—Claro, jefe, ahora mismo. ¿Cómo ha dicho que se llamaba el pueblo?

—Villaperdida del Monte. Estará a unos noventa kilómetros de Madrid, creo. Búscalo en el mapa.

—¿Algo más?

—Sí, tráeme unos zapatos. Susi..., ¿hoy es martes?

—Sí, jefe, martes y trece. ¿Para qué quiere unos zapatos, jefe?

—Tú tráemelos y luego te cuento. ¿Vale?

* * *

Pepe cuelga y va hacia la barra. Pide un café doble, agua mineral con gas y una aspirina. «Martes...», piensa preocupado. Sus últimos recuerdos son del viernes.

El dueño de la fonda, don Faustino, un hombre fuerte y de piel morena, con boina de campesino[11], tiene ganas de hablar con Pepe.

—¡Qué día tan bueno!, ¿eh?

—Sí, muy bueno —responde Pepe sin interés. Tiene demasiado en qué pensar para hablar del tiempo.

—Usted no es de por aquí, ¿verdad? —insiste don Faustino—. Yo no sé qué pasa, pero vienen muchos forasteros últimamente por el pueblo, como ésos de ayer...

Pepe se sienta junto a una mesa de mármol, al lado de una ventana, sin escuchar a don Faustino. De pronto ve que Carmencita está a su lado mirándole muy seria.

—¿Estás triste? —le pregunta la niña.

—No, bonita... ¿Ya te has comido todos los caramelos?

—No, mira —y le enseña los bolsillos del vestido—. Estos son para la abuela. Bueno, me voy a casa.

—Pues, adiós, y gracias por acompañarme.

—¿Me das un beso?

—¿Cómo no? —responde Pepe, poniéndose un poco colorado.

* * *

Mientras espera a Susi, Pepe tiene bastante tiempo para pensar. Sí, se acuerda perfectamente de la cita con Rissi. El italiano quería darle un trabajo. Hablaron por teléfono el viernes por la mañana, y el viernes por la tarde... ¿Qué pasó el viernes por la tarde? ¡Ah, sí! Fue al Hotel Miguel Angel[12]. Eso Pepe lo recuerda muy bien. Llegó al hotel, y en la recepción le dijeron que el señor Rissi le esperaba en su habitación. Le extraño un poco, porque habían quedado en el bar. Luego subió a la 318. Cogió el ascensor, fue hacia la habitación y... Pepe ya no recuerda nada más. El número 318 dorado sobre una puerta de madera oscura y nada más.

«¡Y eso fue el viernes, y hoy es martes!», piensa Pepe con miedo y una sensación extraña. «¿Qué habrá pasado durante estas horas?», se pregunta una y otra vez. ¡Noventa y seis horas y media en ninguna parte!

* * *

A las doce horas llega Susi tan nerviosa como siempre.

—¡Qué alegría verle, jefe! Sano y salvo. ¡He

pasado unas horas...! No se lo puede imaginar... Ha sido horrible.

—Tómate algo y explícame todo con calma.

—Mire esto —dice Susi, poniendo un periódico sobre la mesa.

En la portada, junto a una vieja foto de Pepe, un titular: «Detective privado, presunto asesino del conocido mafioso italiano Rissi, cuyo cadáver ha aparecido en un céntrico hotel.»

—Vaya, estará contento Romerales —murmura Pepe pensando en su eterno enemigo, el inspector de policía Romerales.

—Explícame, ¿qué pasó ayer y anteayer y...? Yo no recuerdo nada. Nada en absoluto. Es horrible.

—¿Nada? Le habrán dado alguna droga...

—Sí, supongo... Y un buen golpe en la cabeza.

—A ver...

—Luego te lo enseño. Ahora cuenta.

—Pues el viernes se fue usted a ver a Rissi, a eso de las cuatro...

—Sí, de eso me acuerdo.

—Al Palace[13], ¿no?

—No, al Miguel Angel.

—Bueno, da igual.

—Me dijo que volvería a la oficina. Pero, claro, no volvió. Yo le estuve esperando hasta las ocho.

—¿Y ayer?

—Pues ayer yo ya empecé a preocuparme, porque usted no vino a la oficina. Y eso que tenía varias citas. Llamé a su casa varias veces, por si se encontraba mal o algo. Me pareció muy extraño que no llamara para avisarme. Luego, por la tarde, fui a su casa y hablé con el portero, con don Cándido. Me dijo que no le había visto en todo el fin de semana.

—Ya...

—Y esta mañana ha venido Romerales. Parece que encontraron al tal Rissi muerto en su habitación, con un tiro en la espalda. Tenía su tarjeta en el bolsillo y anotada la hora de la cita. En el suelo había una pistola con...

—¿Con qué, Susi?

—Con sus huellas, jefe.

—¿Las mías? ¿No desconfiarás también tú de mí, Susi?

—Jefe, por favor...

—Todo es demasiado fácil. ¡Muy bien preparado...!, ¿no?

—Sí, pero ya sabe usted lo estúpido que es Romerales... y lo mal que le cae usted. Además, está el recepcionista, que le vio a usted subir... ¿Qué va a hacer, jefe?

Los dos se quedan callados un momento.

—Encontrar al verdadero asesino —responde Pepe—. ¿Qué, si no? Romerales nunca lo encontrará. Ya me tiene a mí y para él es suficiente. Susi, ¿tú crees que éste es un pueblo turístico?[14]

—Pues no creo, no, sinceramente... ¿Por qué?

Pepe se levanta y va hacia la barra, hacia don Faustino.

—Perdone, ¿verdad que ha dicho que ayer estuvieron aquí unos extranjeros?

—Pues sí. Extranjeros serían, porque tenían un acento raro. Pero no parecían muy, muy extranjeros... No sé cómo decirle...

—¿Italianos?

—Quizá.

—¿Cómo eran?

—Eran dos hombres y una mujer, muy guapa ella, por cierto. Oriental. Ellos... Uno era bajito y de pelo blanco. El otro, delgado, muy alto y muy feo... ¿Cómo le diría? Con cara de mala persona, vaya. Oí que se llamaba Mar...

—Marcelo.

—Eso, Marcelo.

—¿Y estuvieron mucho rato?

—No, qué va, un momento. Me parece que tenían problemas con el coche. Sólo querían agua. Tenían mucha prisa, creo yo.

—¿Y el coche? ¿Era español?

—De matrícula española, sí. Me fijé: era de San Sebastián[16]. Me acuerdo perfectamente. Al verles llegar, me llamó la atención, porque mi mujer es de ahí, y pensé: «Mira, como Begoña.» Por aquí no se ven muchos vascos. Pero el coche era extranjero. Un coche negro, grande, muy bonito.

—Bueno, pues, muchas gracias por la información.

—De nada, hombre. A seguir bien.

* * *

Camino de Madrid, Susi y Pepe escuchan la radio y callan. En las noticias de Radio Nacional[17] hablan un poco de la muerte de Rissi, famoso mafioso italiano buscado por la policía italiana, la española y la Interpol. Tráfico de drogas, armas...

Susi y Pepe están preocupados. Tal vez también un poco asustados.

—Lo primero es ir a ver a Romerales —dice Pepe a su secretaria.

—Pero, jefe, le va a detener...

—Bueno, ¿y qué?

* * *

La entrevista con Romerales, naturalmente, no es nada agradable. Romerales está muy contento de que Pepe tenga problemas. Pepe Rey, ese detective privado que siempre se mete en sus «casos» y que encuentra siempre a los culpables antes que él. Le hace muchas preguntas: «¿Cuándo fue al hotel? ¿Qué pasó después? ¿Por qué no fue ayer a su oficina?...» Lo malo es que a veces Pepe no tiene respuestas. Al final, Romerales le enseña una carta donde él, Pepe Rey, le pide a Rissi mucho dinero a cambio de no decir a la policía cosas que sabe.

—Esta no es mi firma, Romerales.

—Aquí pone claramente su nombre. La letra es como la suya y la firma, también.

—Romerales, usted sabe perfectamente cómo es mi firma y también sabe perfectamente, aunque no quiere reconocerlo, que esta firma es falsa.

—Rey, ¿qué cosas son ésas que no quiere contar a la policía?

—Todo eso es mentira. ¿Cómo quiere que yo le pida dinero a Rissi?

—Cosas parecidas se han visto otras veces.

—Será en el cine, Romerales. En este país los detectives no hacemos eso. Y yo, menos. Usted lo sabe.

Efectivamente, Romerales lo sabe y sabe también que esa carta puede ser falsa, pero no piensa desaprovechar la ocasión de fastidiar un poco a Pepe Rey.

Sin embargo, Romerales no piensa detenerle. Al cabo de unas cuantas horas puede salir. Le han dicho que no se mueva de Madrid y que volverán a interrogarle.

De la comisaría se va a su casa. «"Ninochka" no debe tener ya nada que comer», piensa, preocupado por su gata. Pero cuando llega a casa, ve que Ninochka no está. «Estará buscando novio por algún tejado —piensa Pepe—. En primavera, ya se sabe...»

En el contestador automático hay varios recados. Uno de Elena, su ex mujer:

—Oye, que el sábado no irán los niños a tu casa. Nos vamos a la Sierra a esquiar[18]. ¿Vale? Un beso.

«Tenía ganas de verlos este fin de semana, pero será mejor así», piensa.

También hay varias llamadas de Susi como por ejemplo:

—Jefe, si necesita algo estoy en el 235 10 14. Llámeme. A cualquier hora. ¿Sabe? Estoy preocupada por usted...

Al final de la grabación hay un mensaje muy especial. Es una voz de mujer que, con un ligero acento extranjero, dice:

—¿Todavía buscas rosas?

Pepe recuerda inmediatamente la rosa roja que se ha encontrado en el bolsillo.

* * *

El miércoles, después de dormir unas diez horas, Pepe se levanta y decide llamar a la oficina. Todavía le duele todo, pero tiene que hacer algo.

—Susi, guapa, ya sé que hoy tenías la tarde libre pero... Bueno, en fin, quería que me acompañaras al hotel Miguel Angel y, luego, quizá, a Villaperdida. Yo no me encuentro muy bien. No me apetece nada conducir.

—Por supuesto, jefe. No es ninguna molestia. Además, no sabía qué hacer hoy... —responde Susi, que, en realidad, estaba esperando la llamada de Pepe—. ¿Nos encontramos en el hotel?

Ya en el hotel, van a la recepción. Está el mismo recepcionista que el jueves.

—Quería hacerle unas preguntas —le dice Pepe.

El recepcionista le reconoce enseguida, y empieza a decir que no con la cabeza.

—Oiga... Yo no quiero problemas. En serio...

—Pero sí quieres esto, ¿verdad? —le dice Pepe poniendo un billete de diez mil pesetas sobre el mostrador.

—Es que no sé nada, de veras... —pero coge el dinero.

—A ver... ¿Subió alguien después de mí? A esa hora no había mucha gente en el hotel...

—No sé. No me acuerdo. Creo que no. Enseguida avisaron de que había un cadáver en la trescientas dieciocho. Unos diez minutos después.

—¿Quién avisó?

—Una camarera. Entró a llevar no sé qué a la habitación y...

—¿Y a mí? ¿No me vio usted salir?

16

Se llama Simón y, de mayor, quiere ser detective privado.

17

—No. Lo siento. No lo vi.

—¿Notó algo raro en el hotel ese día? No sé... Cualquier cosa.

Se ha acercado un botones que escucha la conversación con atención. Es un chico de unos quince años, pelirrojo y con cara de listo. Se llama Simón y, de mayor, quiere ser detective privado.

—Sí, sí pasó algo raro —dice Simón—. Lo del zapato.

—¡Bah! Eso es una tontería —dice el recepcionista.

—¿Qué pasó con el zapato? —pregunta Susi, que recuerda muy bien a su jefe en Villaperdida con un solo zapato.

—Pues que lo encontramos el día siguiente en la bañera de la 317, o sea en la habitación de al lado.

—¿Hay una puerta entre la 317 y la 318?

—Sí, sí hay una puerta.

—Gracias, chaval. Sí, era importante lo del zapato.

Simón sonríe satisfecho.

—¿Quién estaba en la 317?

—Pues, no me acuerdo. A ver... Sí, eso es: aquí está, Fabio Malaparte, un italiano también —responde el recepcionista.

—Sí, un tipo alto, feísimo, con cara de mala persona —añade Simón.

Pepe recuerda la conversación con don Faustino, el dueño de la fonda de Villaperdida. Está muy claro: es el mismo.

—¿Y cuándo se fue Malaparte del hotel?

—Pues esa misma noche, ya de madrugada. A las cuatro o algo así... Bueno, eso me dijo el otro recepcionista, el de la noche. Yo ya no estaba.

—¿Os acordáis de qué coche tenía? —Pepe ya sabe la respuesta, pero quiere tener toda la información.

—Sí, yo sí —dice Simón—. Un BMW negro, precioso...

—Serías un buen detective, chaval —le dice Pepe a Simón, dándole un golpe cariñoso—. Te fijas en todo.

* * *

Pepe y Susi se despiden de los empleados del hotel y salen a la calle. En la Castellana[19] hay un tráfico horrible.

—Está más claro que el agua —dice Pepe—. Necesitaban un culpable, pero ¿por qué yo? Me esconden unas horas en la bañera de la 317 y, luego, en el BMW, bien dormidito, a Villaperdida.

—Sí, sí, así fue. ¿Y ahora qué?

—Ni idea. Sólo tenemos un zapato, un BMW, un italiano feísimo y una rosa...

—¿Una rosa?

—Sí, ahora te cuento —dice Pepe parando un taxi con la mano—. ¿Adónde vamos?

—A buscar mi coche, ¿no? —responde Susi—. ¿O prefiere ir en el suyo? A mí me da igual... El mío lo he llevado al taller, a cambiar el aceite, pero me han dicho que me lo tendrían a las dos.

—Sí, mejor vamos en el tuyo. Todavía me duele la cabeza.

—Santa Engracia, 37, por favor —dice Susi al

taxista—. Entre Manuel Cortina y Luchana. Me iba a contar lo de la rosa, jefe.

Pepe le cuenta cómo encontró la rosa en su bolsillo.

—Pues yo eso no lo veo tan raro... —dice Susi—. La compraría para alguna chica...

—Susi, por favor. Hace mil años que yo no regalo rosas a nadie. Tú ya me conoces...

—Ya, ya...

—Además está lo del contestador...

Pepe le cuenta a Susi la extraña llamada. Susi escucha con atención.

—Pues, entonces, es como un signo, una firma...

—Sí, una firma de mujer. A las mujeres les encanta firmar los crímenes.

—Una rosa..., una rosa... —murmura Susi.

De pronto, algo se mueve en la memoria de Pepe pero no acaba de recordar.

* * *

Llegan a la calle Santa Engracia. El taxi se para delante de un pequeño taller. Allí está, aparcado, el viejo «dos caballos» amarillo de Susi.

—Jefe, ¿y si antes de ir a Villaperdida comemos algo?

—Buena idea.

—Aquí al lado hay un restaurante chino que no está mal.

—Como tú quieras.

Quizá son los fideos chinos o el cerdo agridulce, Pepe no lo sabe, pero de pronto algo se despierta en su cerebro.

20

—¡Rosa! ¡Rosa Wang Lee! Claro. Tiene que ser ella. Ahora lo entiendo todo.

—¿Quién es esa Rosa, jefe?

—Es una larga historia. La conocí hará unos diez años. Tú todavía no trabajabas conmigo. Era hija de un chino y de una holandesa. ¿Recuerdas que el de la fonda habló de una mujer oriental? Era una mujer muy especial...

—Debe serlo todavía —comenta Susi irónica.

—Había tenido una vida muy dura. Había hecho de todo: modelo, agente secreta, directora de un casino, yo qué sé... Por aquella época tenía un amante inglés, un mal tipo que le sacaba el dinero. En fin, que se metió en líos de drogas para ayudarle a él. Yo les descubrí y ayudé a Romerales a detenerles. Pensaba que todavía estaba en la cárcel. En el juicio, lo recuerdo muy bien, cuando salía, me dijo: «No te olvidarás de mí.»

—Sí, parece que está muy claro. Esta es su venganza.

Pepe se levanta y sin decirle nada a Susi va hacia el teléfono. A veces Pepe no explica lo que hace y eso a Susi, a la que le gusta saberlo todo, le pone nerviosa. Es lo que menos le gusta de su jefe.

—Romerales —dice Pepe cuando le ponen con el inspector—, ¿se acuerda de Rosa Wang? ¿Ya no está en Yeserías[20]?

—No. Salió hace unos cuatro meses. ¿Qué pasa, Rey? —responde Romerales.

—Todavía no lo sé, pero creo que ella está detrás de todo esto.

—Me han dicho que últimamente andaba con

unos italianos. Es un asunto feo: tráfico de armas. O sea que...

Pepe le corta y le dice que le volverá a llamar.

* * *

Pepe vuelve a la mesa. Susi está impaciente.

—Sí, ahora estoy seguro. La rosa es suya. ¿Algo de postre?

—Un plátano frito con miel.

—Eso engorda, Susi.

—¿Qué quiere decir con eso, jefe?

Los dos se ponen a reír. Están un poco más tranquilos. Al menos saben a quién buscan.

—Bueno, ahora en serio, ¿cómo podemos encontrar a Rosa? A lo mejor se ha ido de Madrid, de España...

—Sí, claro, puede ser. Rosa tenía una amiga en Madrid. En realidad, era más que una amiga. Era como una hermana mayor. Los padres de Rosa murieron cuando ella era muy pequeña. Esta amiga, Jimena, una chilena, la cuidó. Se quieren mucho. Si Rosa está en Madrid, ve a Jimena. Estoy seguro.

—¿Y usted sabe dónde vive?

—Sí, ¿vamos a echar un vistazo?

—¿No vamos a Villaperdida?

—No, ¿para qué?

* * *

Jimena, la amiga de Rosa Wang, vive todavía en ese viejo edificio del Rastro, en la Ribera de Curtidores[21]. Se lo dice una vecina, una viejecita con los labios muy pintados y el pelo casi amarillo. Es doña Josefa, que de joven fue actriz y que ahora está muy contenta de que estos jóvenes, Pepe y Susi, le hagan tantas preguntas.

—Pues sí,claro que vive aquí Jimena, la del segundo izquierda. Lleva ya más de diez años en la casa.

—Oiga, y esa chica que vivía con ella, ya sabe, la chica esa oriental... Es amiga nuestra y queremos encontrarla.

—Pues precisamente estuvo aquí ayer por la tarde.

—Ah, ¿sí? ¿Viene mucho?

—Sí. Bueno, a veces viene mucho y, luego, pasa meses sin venir.

—Muchas gracias. Ha sido usted muy amable.

—No hay de qué.

—Un favor más: no le diga a Jimena que hemos estado hablando. Queremos darle una sorpresa.

* * *

Pepe y Susi salen a la calle.

—Si la vieja las avisa, Rosa no vendrá por aquí.

—Sí, pero quizá no diga nada. ¿Y ahora?

—Ahora... Pues habrá que vigilar la casa. No hay otra solución. Vete tú a casa. Empiezo yo y... Espera, métete en ese bar. Me parece que esa que sale es Jimena.

Una mujer morena, de unos cincuenta años, elegante, con cara de india, anda por la acera rápido. Lleva en la mano una maleta de tela verde a cuadros.

Pepe y Susi salen deprisa del bar y empiezan a

seguirla por las callejuelas del Rastro. Llegan a la Plaza de Tirso de Molina. Allí, Jimena entra en el Metro. Y Pepe y Susi también, claro. Son ya las siete de la tarde y hay bastante gente. Es difícil seguirla porque anda muy rápido. En el andén, esperando el Metro, la observan. Parece preocupada y anda nerviosa hacia arriba y hacia abajo. Por fin llega el Metro y suben en el mismo vagón. En Sol[22] bajan y casi la pierden. Cogen otro Metro hasta Colón. Allí sale a la calle y empieza a andar por la calle Génova. Por fin se para ante un bonito edificio antiguo. Pepe y Susi se miran. Jimena mira el número del edificio y, al cabo de un momento, se decide a entrar. Delante de la puerta hay un BMW negro aparcado.

—Ven, corre, Susi. Están ahí. Ahora es el momento.

Cuando oye gente, Jimena se da la vuelta. Pepe y Susi están detrás de ella.

—¿Adónde vas, Jimena?

—A ningún sitio. ¿Quién es usted? —dice Jimena asustada.

De pronto empieza a correr hacia la escalera, gritando:

—¡Rosa! ¡Rosa! ¡Vete, vete, vete!

En ese momento siente algo frío contra las costillas. Es la pistola de Pepe. Pepe no lleva casi nunca pistola y, además, no le gusta nada usarla y, por suerte, casi nunca tiene que hacerlo. Pero hoy sí. Ahora su libertad está en juego: o Rosa Wang o él.

—Tranquila, Jimena. No pasa nada. Anda, entra en el ascensor. Vamos a ver a Rosa, ¿no?

Jimena les mira con odio.

Llegan al quinto piso y Pepe toca el timbre.

Al cabo de un rato una chica con uniforme abre.

—Ah, es usted, señora Jimena. La señorita Rosa la estaba esperando. Pasen, pasen.

Pepe todavía apunta con la pistola a Jimena y la chica, que es Margarita, la asistenta, al verla abre mucho la boca pero no dice nada.

Al fondo se oye un vals. La casa es muy lujosa, Muebles antiguos, muchos espejos, cuadros valiosos... «El tráfico de armas debe ser un buen negocio», piensa Pepe. Mira a Susi y ve que está temblando al lado de un fantástico biombo chino.

De pronto, nadie la ha oído llegar, detrás de Pepe y con una pequeña pistola blanca, aparece Rosa. Lleva un albornoz blanco hasta los pies y está más guapa que con un traje de noche. Ha llegado como un gato. «Como Ninochka», piensa Pepe.

—Tira esa pistola, Pepe. No seas estúpido.

Pepe tira la pistola, que cae sin hacer ruido sobre la alfombra, y levanta los brazos.

—¿Qué quieres ahora? ¿No me has traído ya suficientes problemas...?

—Ahora parece que me los das tú a mí, ¿no?

—No sé de qué estás hablando —dice Rosa.

—Sí lo sabes. Lo sabes perfectamente. Te has equivocado, Rosa: es muy peligroso firmar los crímenes. No se puede ser tan coqueta...

—No te hagas el gracioso. La venganza anónima no tiene gracia. ¿No lo sabías?

—Sí, en eso estoy de acuerdo.

*   *   *

Después de unos segundos de silencio, Pepe

Pepe tira la pistola, que cae sin hacer ruido sobre
la alfombra.

vuelve a hablar. Se ha dado cuenta de que Susi no está en el recibidor. No sabe dónde se ha metido, pero sí sabe que tiene que ganar tiempo.

—¿Y tus socios, los italianos?

—No te preocupes. Están a punto de llegar. Y cuando lleguen, nos iremos. ¿Vale? Quiero decir que nos iremos Jimena y yo. Vosotros os quedaréis aquí unas horas. ¿Sabes? Tengo una casa muy bonita en un lugar del Mediterráneo en la que hay rosas todo el año. Jimena y yo necesitamos descansar un poco. Esta vez no vas a estropearlo todo.

En ese momento, de detrás del biombo sale Susi. Salta sobre Rosa, que se cae al suelo y pierde la pistola. Pepe la recoge. Susi, en sus ratos libres, practica el tae-kwon-do.

—Lo siento, Rosa.

Jimena mira al suelo. Quizá llora.

Al rato, después de una llamada, llegan Romerales y sus hombres. Por suerte, los italianos no han vuelto todavía. Y, por suerte, también Pepe y Susi pueden irse. Romerales va a esperar a los italianos.

* * *

Pepe y Susi andan en silencio por la Castellana. Están cansados.

—¿En qué piensa, jefe?

—No sé… En esa casa de las rosas junto al Mediterráneo.

—Entiendo, jefe. Le invito a cenar por ahí. A un restaurante italiano, por ejemplo.

—Ah, no. ¡Eso no! ¡Hoy no! Ni chinos, ni italianos. ¿Qué tal un gallego? ¿Unas buenas ostras con una botellita de albariño?[23]

Susi le sonríe y le dice que sí. Ya están de mejor humor.

—Estupendo. Las ostras no engordan nada —añade Susi, tomando a su jefe cariñosamente del brazo, cosa que no hace nunca.

Notas

(1) En España, a diferencia de otros países, se considera que son los martes 13 los días de mala suerte.

(2) España es un país muy variado desde el punto de vista geográfico y climático por lo que la vegetación presenta también notabilísimas diferencias. De ahí que Pepe pueda deducir dónde se encuentra simplemente observando los campos y la vegetación que le rodea.

(3) Es muy corriente aún hoy que las ancianas de las zonas rurales vistan enteramente de negro.

(4) Carmencita es el diminutivo de Carmen. Es corriente el uso de los diminutivos de los nombres propios al referirse a los niños.

(5) Una fonda es un hotel económico donde también se puede comer. Es muy frecuente que en los pueblos pequeños sólo haya una fonda y ningún hotel.

(6) La niña tutea a Pepe, cosa que suelen hacer muchos niños de corta edad con todos los adultos.

(7) José y su forma familiar Pepe, es probablemente el nombre de varón más frecuente en España. Hoy en día, sin embargo, es ya muy poco habitual llamar así a los niños que nacen.

(8) Villaperdida del Monte es un pueblo imaginario, inventado por las autoras. Sin embargo, hay que señalar que existen nombres de pueblo muy similares a éste.

(9) España consta de 50 provincias, división administrativa que se refleja en multitud de cuestiones de la organización del país (desde la matriculación de los coches a los prefijos telefónicos, por citar dos ejemplos prácticos). Toledo es la provincia que está al sur de la de Madrid.

(10) Sol, como así llaman los madrileños a la Puerta del Sol, se considera el centro tradicional de Madrid. En ella se sitúa el kilómetro cero de las carreteras españolas y es el punto de referencia para la numeración de las calles madrileñas.

(11) Es muy frecuente que los campesinos se cubran la cabeza con una boina.

(12) El hotel Miguel Angel es un céntrico y conocido hotel, situado cerca del Paseo de la Castellana.

(13) El hotel Palace es otro de los grandes hoteles madrileños. Se encuentra casi enfrente de Las Cortes (Congreso de los Diputados), en la Carrera de San Jerónimo, esquina Paseo del Prado.

(14) A pesar de ser España un país eminentemente turístico, algunas regiones, a pesar de su interés, son todavía poco visitadas por los turistas, que prefieren las costas y las grandes ciudades. Este es el caso de Castilla-La Mancha, donde situamos nuestra imaginaria Villaperdida del Monte.

(15) La semejanza física y aun cultural y lingüística entre italianos y españoles es lo que hace decir a don Faustino que los visitantes no parecían «muy extranjeros».

(16) Las matrículas de los coches españoles llevan al principio las iniciales de la provincia de la que proceden, luego cuatro números y después un código alfabético.

(17) Radio Nacional de España es la emisora de radio estatal. Junto con Televisión Española forman el llamado «Ente Público de Radio Televisión Española».

(18) Cerca de Madrid hay una extensión montañosa denominada por los madrileños «la Sierra», que forma parte de una cordillera que divide la Meseta castellana, el Sistema Central. En ella hay varias estaciones de esquí, frecuentadas por numerosos madrileños.

(19) El Paseo de la Castellana es una avenida que cruza la ciudad de Norte a Sur. En ella se encuentran multitud de edificios oficiales y las oficinas de muchas empresas. En los últimos años se ha hecho célebre también por la gran vida nocturna de las numerosísimas terrazas que allí se instalan en verano.

(20) Yeserías es la cárcel de mujeres de Madrid.

(21) El Rastro es el mercado de objetos de ocasión y antigüedades de Madrid. Es muy pintoresco y ocupa una extensa zona, y tanto numerosos madrileños como visitantes lo frecuentan, en especial los domingos por la mañana, día de mayor actividad. El centro se encuentra en una calle llamada Ribera de Curtidores o popularmente «Cascorro».

(22) Sol es el nudo más importante de los transportes urbanos madrileños (Metro y autobuses).

(23) La cocina gallega es célebre por sus pescados y mariscos. El albariño es un vino blanco gallego muy apreciado por los conocedores.

Notes

(1) Contrairement aux autres pays, on considère en Espagne que les mardis 13 portent malheur.

(2) L'Espagne est un pays très varié au point de vue de la géographie et du climat. C'est pour cela que la végétation est très différente d'une région à l'autre. Il en résulte que PEPE peut en déduire où il se trouve par le simple fait d'observer les champs et la végétation qui l'entourent.

(3) Il est encore très fréquent de voir les vileilles femmes des zones rurales, entièrement vêtues de noir.

(4) Carmencita est le diminutif de Carmen. L'usage des diminutifs au lieu des prénoms est courant quand il s'agit d'enfants.

(5) Une «fonda» est un hôtel bon marché où on peut aussi manger. Dans les petits villages, il est fréquent qu'il y ait seulement une «fonda» et pas d'hôtel.

(6) La fillette tutoie Pepe chose habituelle chez beaucoup de jeunes enfants envers les adultes.

(7) José (Joseph) —et son dérivé familier Pepe— est probablement le prénom masculin le plus fréquent en Espagne. De nos jours pourtant, il n'est plus habituel d'appeler ainsi les enfants qui naissent.

(8) Villaperdida del Monte (La ville Perdue du Mont) est un village imaginaire, inventé par les auteurs. Il faut pourtant signaler qu'il existe des noms de village semblables à celui-ci.

(9) L'Espagne est constituée de 50 provinces. Ce sont des divisions administratives qui transparaissent à tous les stades de l'organisation du pays: depuis les plaques minérologiques des véhicules jusqu'aux préfixes Télé-

phoniques, pour ne citer que deux exemples pratiques.
Tolède est la province qui se trouve juste au sud de celle de
Madrid.

(10) Sol est la façon dont les madrilènes appellent «La Puerta
del Sol» (La Porte du Soleil). Traditionnellement on la
considère comme le centre de Madrid. Le kilomètre zéro
(point de départ de toutes les routes espagnoles) s'y trouve
et c'est aussi le point de référence pour la numérotation des
rues madrilènes.

(11) Les paysans portent fréquemment un bérêt sur la tête.

(12) L'hôtel Miguel Angel est un hôtel connu du centre de
Madrid. Il se trouve auprès du Paseo de la Castellana.

(13) L'hôtel Palace est un autre gran hôtel madrilène. Il est situé
presque en face de Las Cortes (L'assemblée Nationale)
dans la rue de San Jerónimo et à l'angle avec le Paseo
del Prado.

(14) Même si l'Espagne est un pays éminemment touristique, il y
a encore quelques régions qui malgré leur intérêt sont
toujours peu visitées par les touristes. Ceux-ci préfèrent les
côtes et les grandes villes. C'est le cas de Castilla-La
Mancha où se trouve notre Villaperdida del Monte
imaginaire.

(15) La ressemblance physique et surtout culturelle et linguistique
entre italiens et espagnols est ce qui fait dire à Don
Faustino que les visiteurs ne semblaient pas «très étrangers».

(16) Les plaques minéralogiques des voitures espagnoles portent
en partant de la gauche: une ou deux lettres qui
représentent la province d'où provient le véhicule, ensuite
une série de quatre chiffres et enfin un code alphabétique.

(17) Radio Nacional de España est la radio d'Etat. Elle constitue
avec la Televisión Española ce qui est appelé: «Ente Público

de Radio/Televisión Española» (Société Publique de Radio et de Télévision Espagnoles).

(18) Près de Madrid il y a une région montagneuse que les madrilènes appelent «la Sierra». Elle appartient à une chaîne montagneuse qui divise la Meseta castillane et le Systeme Central.On y trouve plusieurs stations de sport d'hiver frequentées par de nombreux madrilènes.

(19) Le Paseo de la Castellana est une avenue qui traverse Madrid du nord au sud. On y trouve une multitude de bâtiments officiels et les bureaux de nombreuses entreprises. Il est aussi devenu célèbre ces dernières années grâce aux bars-terrasses qu'on y installe pendant l'été et où règne une importante vie nocturne.

(20) La prison pour femmes de Madrid s'appelle Yeserías.

(21) Le Rastro est un marché où on peut trouver des objets d'occassion et de brocante. Il s'étend beaucoup autour de son centre qui se trouve dans la rue Ribera de Curtidores (Rive des Tanneurs), populairement connues sous le nom de «Cascorro». Il est fréquenté par de nombreux madrilènes et visiteurs surtout le dimanche matin, jour de plus grande activité.

(22) Sol est le noeud des transports urbains madrilènes (métropolitain et autobus), le plus important.

(23) La cuisine galicienne est réputée pour ses poissons et ses fruits de mer. Le Albariño est un vin blanc galicien très apprécié des connaisseurs.

Cross references

(1) Unlike other countries, Tuesday 13th is the unlucky day in Spain.

(2) Spain has a great variety of climatic and geographical types and so the vegation is notably different from place to place.So Pepe can tell where he is by just looking at the countryside and the vegetation that surrounds him.

(3) It is still very customary for old ladies in the countryside to dress only in black.

(4) Carmencita is the diminutive form of Carmen. It is common to use diminutives when referring to children.

(5) A «fonda» is a very cheap hotel where one can also eat. In many small villages there is no hotel and only a «fonda».

(6) The girl uses the informal form or «tú» when speaking to Pepe. This is how many small children address adults.

(7) Jose and its diminutive form, Pepe, is possibly the most common male name in Spain. However, today it is not so normal to give this name to children.

(8) Villaperdida del Monte is an imaginary village, invented by the authors. However it should be pointed out that there are many villages with names like this.

(9) There are 50 provinces in Spain and this administrative division is reflected in a thosand different aspects of the organisation of the country. Two practical examples are the initial letters of car number plates and the telephone area codes. Toledo is the province south of Madrid.

(10) Sol is the name the inhabitants of Madrid give to the Puerta del Sol, which is considered the traditional centre of Madrid. All the roads in Spain radiate and are measured

from this square and it is the reference point for street numbering in Madrid.

(11) Many country-dwellers wear a boina or beret on their heads.

(12) The hotel Miguel Angel is a well-known hotel in the centre, in the Paseo de la Castellana.

(13) The Hotel Palace is another of the great Madrid hotels. It is almost in front of the Cortes (Congress of Deputies), on the corner of the Carrera de San Jerónimo and the Paseo del Prado.

(14) Even though Spain is very popular with the tourists there are some very interesting regions that are not frequently visited by the tourists, who prefer the coast and the big cities. This is the case of Castilla-La Mancha, where Villaperdida del Monte, our imaginary village, is situated.

(15) The physical and even the cultural and linguistic similarities between Spaniards and Italians leads don Faustino to say that the visitors do not seem very foreign.

(16) Spanish car-plates consist of the initials of the province they are registered in, followed by four numbers and finally an letter.

(17) Radio Nacional de España is the State radio station. It and Spanish Television form the Spanish Broadcasting Corporation, «Ente Público de Radio Televisión Española».

(18) Near Madrid there is a mountainous area which the inhabitants of Madrid call «la Sierra» the Mountains. This is part of the Sistema Central, a mountain range which divides the Meseta Castellana - the central plateau. There are various ski resorts whichare very popular with the inhabitants of Madrid.

(19) The Paseo de la Castellana is an avenue running North-South through the city. On it there are lots of government buildings and company head-offices. In recent years it has become famous for its vivacious night-life in the innumerable sidewalk cafes installed in the summer.

(20) Yeserias is Madrid's prison for women.

(21) The «Rastro» is a fascinating market for second-hand goods and antiques. It occupies a large area and is very popular with both locals and visitors, especially on Sunday worning, when it is most active. The centre is in a street officially called «Ribera de Curtidores» but popularly «Cascorro».

(22) Sol is the most important connecting point for Madrid's public transport (underground and buses).

(23) The cooking of Galicia is famous for its fish and shell-fish. Albariño is a Galician white wine which connoisseurs appreciate.

Anmerkungen

(1) In Spanien ist man, im Gegensatz zu anderen Ländern, der Meinung, daß der Dienstag der 13. Unglück bringt.

(2) Spanien ist hinsichtlich seiner Geographie und seines klimas ein sehr vielfältiges Land, weshalb auch die Vegetation beachtenswerte Unterschiede zeight. Daher kommt es, daß Pepe, die Felder betrachtend und die Vegetation sehend, schluæfolgern kann, wo er sich befindet.

(3) Es ist auch heute noch sehr üblich , auf dem Lande vollständig in Schwarz gekleidete Frauen anzutreffen.

(4) Carmencita ist die Verkleinerungsform von Carmen. Gewöhnlich benutzt man die Verkleinerungsformen eines Eigennamens, wenn man sich auf ein Kind bezieht.

(5) Eine fonda ist ein preiswertes Hotel, in dem man auch essen kann. Häufig gibt es in kleineren Orten nur eine fonda und kein anderes hotel.

(6) Das Mädchen duzt Pepe,wie es viele kleine Kinder mit allen Erwachsenen machen.

(7) José (und die familiärere Form Pepe) sind wahrscheinlich die üblichsten Männernamen in Spanien. Dennoch Werden heute kaum noch neugeborene Kinder so genannt.

(8) Villaperdida del Monte ist ein imaginäres Dorf, erfunden von den Autoren. Trotzdem muæ darauf hingewiesen werden, daß es diesem sehr ähnliche Dorfnamen gibt.

(9) Spanien besteht aus fünfzig Provinzen, eine verwaltungmäßige Unterteilung, die sich in einer Menge von Organisationsfragen des Landes wiedersoiegelt (von den Autokennzeichen bis zu den telephonischen Vorwahlnummern, um einige praktische Beispiele zu erwähnen). Toledo ist die Provinz südlich von Madrid.

(10) Sol wie die Madrider die Puerta de Sol nennen, gilt als das traditionelle Zentrum Madrids. Dort befindet sich der kilometerstein Null fue die kilpmeterzächlung der spanischen Überlandstraßen und es ist der Referenzpunkt für die Nummerierung der Madrider Strassen.

(11) Es ist sehr üblich, daß die Bauern sich denn Kopf mit einer Baskenmütze bedecken.

(12) Das hotel Miguel Angel ist ein zentral gelegenes und bekanntes Hotel, an der Paseo de la Castelliana gelegen.

(13) Das Palace-Hotel ist ein anderes großes Madrider Hotel. Es befindet ich gegenüber vom Cortes (dem Congress der «Diputados») in der Carrera de San Jerónimo, Ecke Paseo de Prado.

(14) Obwohl Spanien eindeutig ein Touristenland ist, werden einige Regionen, obwohl interessant, auch heute noch kaum von Touristen besucht, die die Küsten und die großen Städte vorziehen. Dies ist der Fall von Castilla-La Mancha, wohin wir unser imaginäres Villaperdida del Monte verlegt haben.

(15) Die Ähnlichkeit im Aussehen, der Sprache und der Kultur zwischen Italienern und Spaniern läßt Don Faustino sagen, daß die Gäste nicht «sehr ausländisch» erscheinen.

(16) Die spanischen Autokennzeichen geben zuerst die Anfangsbuchstaben der Herkunfts-Provinz an, dann folgen die Zahlen und darauf ein Schlüsselaus Buchstaben.

(17) Radio Nacional des España ist der staatliche Sender. Zusammen mit dem Television España (dem spanischen Fernsehen) bilden sie die sogenannte Ente Publico de Radio Television Española (öffentliches spanisches Radio- und Fernsehwesen).

(18) Nahe bei Madrid gibt es eine ausgedehnte Berggegend,

von den Madridern La Sierra gennant, die den Teil einer Bergkette bildet, die die kastilianische Hochebene, das Sistema Central durchteilt. Esgibt dort verschiedene, von vielen Madridern benutze Ski-Stationen.

(19) Der Paseo de La Castellana ist eine Avenue, die die Stadt von Norden nach Süden durchkreutz. An ihr liegen viele Bürogebäude und die Büros vieler Firmen. In den letzten Jahren wird sie auch für ihr ausgedehntes Nachtleben der vielen Straßencafés, die hier im Sommer eröffner werden, gerühmt.

(20) «Yeserias» ist das Frauengefängnis Madrids.

(21) Der Rastro, malerischer Markt der Gebraucht haren und Antiquitäten in Madrid, ist er sehr ausgedehnt. Und es suchen ihn ebensoviele Madrider wie fremde Besucher auf, besonders am Sonntagvormittag, die Zeit seiner Hauptaktivität. Sein Zentrum befindet sich in der Ribera de Curtidores oder popular «el Cascorro» genannten Straße.

(22) Sol ist der wichtigste knotenpunkt für den öffentlichen Madrider Stadtverkehr (Metros und Busse).

(23) Die galicische Küche ist für ihre Fisch- und Meeresgerichte berühmt. El Albariño ist ein von Kennern sehr geschätzter galicischer Weißwein.